1000 COUPS DE FOUET

RAIF BADAWI

1000 COUPS DE FOUET

PARCE QUE J'AI OSÉ PARLER LIBREMENT

Traduit de l'arabe (Arabie Saoudite)
par France Meyer

Relecture par Rachida Dumas et Leila Kouatly

ISBN : 978-2-924402-55-9
Dépôt légal – Bibliothèque et Archives nationales du Québec, 2015
Dépôt légal – Bibliothèque et Archives Canada, 2015

Titre original : *1000 Peitschenhiebe. Weil ich sage, was ich denke* by Raif Badawi
(édité par Constantin Schreiber), traduit de l'arabe
© de l'édition allemande Ullstein Buchverlage GmbH, Berlin. Publié en 2015
par Ullstein Verlag
© Éditions Kero, 2015, pour la traduction française
© Éditions Gallimard ltée – Édito, 2015 pour la présente édition

Imprimé au Québec

Note de l'éditeur

Les textes de Raif Badawi, interdits en Arabie Saoudite, ont, pour beaucoup, été détruits. Parmi ceux encore disponibles, quatorze ont été sélectionnés pour ce recueil avec l'aide d'Ensaf Haidar, son épouse. La majorité a paru entre 2010 et 2012 sur les sites Al-Bilad, Al-Hiwar al-Mutamaddin et Al-Jazira. Pour deux d'entre eux, la date exacte de publication n'a pas pu être reconstituée.

Un petit nombre de passages évoquant un contexte spécifique difficilement compréhensible pour un lecteur occidental ont été légèrement raccourcis et sont identifiés par […]. Les citations du Coran présentes dans le texte original et qui pour des raisons de sécurité ont été supprimées dans la présente édition sont identifiées par (*).

Les notes en bas de page ont été rédigées soit par la traductrice du texte arabe en français (FM), soit par Constantin Schreiber (CS), journaliste allemand qui a supervisé l'édition originale publiée par Ullstein Verlag.

Libérer la parole

Les pages qui suivent sont signées de Raif Badawi.

La vie de ce jeune militant a basculé en mai 2014 quand il s'est vu condamner à 10 ans de prison, 1 000 coups de fouet et 270 000 $ pour avoir créé « Libérez les libéraux saoudiens », blog destiné à susciter un débat public en Arabie Saoudite, pays où cela est strictement impensable. On lui a aussi reproché d'avoir « Insulté l'islam ».

Pour Amnesty International, Raif est un prisonnier d'opinion. Il a en effet été condamné uniquement pour avoir exercé son droit à la liberté d'expression. Depuis, l'organisation est mobilisée pour exiger sa libération immédiate et inconditionnelle, comme elle le fait pour tous les prisonniers d'opinion partout dans le monde. Et ce, quels que soient les propos formulés, sous réserve qu'ils ne soient pas des appels à la haine ou à la violence.

Au moment où ce livre paraît, plus d'un an après sa condamnation, Raif est toujours détenu. Depuis la prison, il a pu parler à Ensaf, sa femme aujourd'hui réfugiée au Canada avec leurs trois enfants. Leurs témoignages ouvrent ce livre rassemblant également certains de ses billets, qui nous permettent de lire ce qui a conduit à sa condamnation.

Une peine de prison accompagnée de châtiments corporels. C'est ainsi qu'en début d'année, le 9 janvier, il a reçu ses premiers cinquante coups, administrés en public devant la mosquée Al-Jafali à Djeddah. Un vendredi, jour de la prière. Les autres séances de flagellation, prévues elles aussi le vendredi, ont depuis été suspendues mais pas annulées.

La flagellation est un acte d'une cruauté extrême, strictement interdite par le droit international. Amnesty International la dénonce et la condamne sans aucune réserve. Le fait que les autorités saoudiennes y recourent atteste leur profond mépris des principes fondamentaux des droits humains.

Le cas de Raif a suscité une vague d'indignation dans le monde, braquant enfin les projecteurs sur les pratiques des autorités saoudiennes. La publication de ses écrits permet d'apporter un éclairage supplémentaire.

Raif est en effet loin d'être une exception. Les prisons saoudiennes sont remplies de détenus enfermés pour avoir osé exprimer leur opinion librement et publiquement.

Avocats, professeurs, militants ou journalistes sont ainsi très régulièrement poursuivis pour des activités jugées subversives par les autorités. Des motifs aussi divers et imprécis que « rupture de l'allégeance et désobéissance au souverain », « manipulation de l'opinion publique contre les autorités » sont invoqués pour les réduire au silence. Des chefs d'accusation formulés dans des termes suffisamment vagues pour se prêter à toutes les interprétations et permettre toutes les restrictions. Les récentes lois antiterroristes criminalisent en outre toutes les formes de dissidence pacifique, une catégorie dans laquelle se trouve catalogué quiconque ose formuler une pensée critique.

La poursuite pénale n'est cependant pas la seule manière de faire taire des opposants qui sont sans cesse harcelés, intimidés, voire jetés en prison sans chefs d'accusation ni procès.

Le cas et les écrits de Raif jettent un regard cru sur un pays trop timidement critiqué en raison notamment de son poids économique et de son rôle stratégique. Si, ces dernières années, la situation des droits humains a connu quelques avancées, elle reste extrêmement grave : liberté d'expression quasi inexistante, recours fréquent à la peine capitale (des centaines de personnes ont été décapitées et des centaines d'autres condamnées à mort ces dernières années), pratique de la torture en détention, discriminations de toutes sortes envers les femmes, contrôle et encadrement des pratiques religieuses (ni les citoyens saoudiens ni les étrangers ne sont autorisés à pratiquer leur religion librement, car seule la version sunnite de l'islam est tolérée). La liste est longue et dessine un bilan catastrophique en matière de droits humains. Un bilan qui ne s'améliorera pas tant que celles et ceux qui peuvent faire évoluer la situation seront privés de parole et que les partenaires de l'Arabie Saoudite se tairont.

Pour éviter que ce silence complice ne prive durablement les ressortissants de ce pays de leurs droits, il est indispensable de parler, de dénoncer et de divulguer.

C'est ce que fait Amnesty International quand elle recueille des témoignages pour faire connaître la réalité et exiger que des pressions soient exercées sur les autorités.

C'est aussi ce qu'elle fait en soutenant la publication d'écrits censurés et en redonnant et en prolongeant la parole de ceux qui en sont privés.

Amnesty International est une organisation mondiale et indépendante, présente dans plus de 150 pays et territoires. Elle rassemble plus de 7 millions de personnes qui militent pour le respect, la défense et la promotion des droits humains. Prix Nobel de la paix en 1977, Amnesty International est indépendante de tout gouvernement, de toute tendance politique, de toute croyance religieuse afin de pouvoir dénoncer les violations des droits humains partout dans le monde, en toute impartialité.

Lettre d'Ensaf Haidar à Raif Badawi

Sherbrooke, Canada, mai 2015

Je poursuis encore ce mirage… J'ai passé deux ans à attendre derrière cette porte de l'exil, qui n'ouvre sur rien d'autre qu'un vide vertigineux où disparaissent toutes les questions brûlantes.

Quand reviendra-t-il, comment et dans quel état reviendra-t-il ? Comment m'habillerai-je, comment réagirai-je… Est-ce que je le serrerai contre moi… est-ce que je l'embrasserai ? Est-ce que je pleurerai ?

De douloureux souvenirs me tirent de ma rêverie. Car à cette heure-ci, d'habitude, je me prépare avec Raif à sortir en ville… nous commençons par faire des plans… que boirons-nous… que mettrai-je…

Récemment, comme mes trois anges insistaient de plus en plus pour percer le secret de la longue et étrange absence de leur père, j'ai fini par céder, et leur ai dit sans réfléchir qu'il n'avait pas le droit de voyager à cause d'un problème entre lui et le régime saoudien ; leurs questions se sont multipliées, et j'aurais voulu ne leur avoir jamais répondu !

Un matin de mai 2014, j'ai été réveillée par le coup de téléphone d'un ami de Raif. Il avait assisté à son procès en appel et m'annonçait d'une voix rauque, sans préambule, que la sentence de Raif avait été alourdie ! J'ai raccroché sans rien ressentir, puis, les nerfs tendus à se rompre, j'ai fini par fondre en larmes. Enfin, je me suis ressaisie, et me suis souvenue que Raif m'avait promis de revenir. Quand ? Je n'en sais rien, mais il me l'a promis !

Je ne cesse de répéter dans mes messages au gouvernement saoudien, à chaque forum ou rencontre, qu'ils savent très bien que Raif n'est pas un criminel, mais un prisonnier d'opinion, et qu'ils doivent se conformer à tous les traités internationaux relatifs à la liberté d'expression. Je ne sais s'ils m'entendront un jour ou non.

Je suis arrivée au Canada après un voyage qui ressemblait davantage à une fuite d'Arabie Saoudite, et qui nous a menés au Caire, puis à Beyrouth, jusqu'à ce que nous nous installions ici pour reprendre une vie normale, en attendant le retour de l'absent.

Tout ce que je voudrais dire, c'est que je ne pourrai jamais assez remercier chaque personne sur cette terre qui m'a soutenue et a soutenu Raif, et en particulier Amnesty International, qui n'a épargné aucun effort et a mobilisé ses branches dans divers endroits du monde, déclenchant ainsi la plus extraordinaire et la plus grande épopée légale que nous ayons connue. Je les remercie donc, et je remercie Raif qui m'a appris à résister, à être forte, et à lutter pour le faire revenir. Peut-être n'est-ce pas pour bientôt, mais je vais le retrouver, car il m'a promis, oui, il m'a promis, de revenir, par une porte ou une autre, c'est sans importance, l'essentiel, c'est qu'il soit là à mes côtés, et qu'il emplisse le monde de joie et d'amour, en luttant toujours pour la justice et la liberté.

Préface de Raif Badawi

Depuis la prison, en 2015

J'étais tout occupé à tenter de réinventer le libéralisme en Arabie Saoudite, pour participer à la diffusion des « Lumières » dans ma communauté, abattre les murs de l'ignorance, effriter l'inviolabilité du clergé, et essayer de promouvoir un embryon d'opposition et le respect de la liberté d'expression, des droits de la femme, et de ceux des minorités et des indigents en Arabie Saoudite.

Tout cela, c'était avant que je me retrouve en prison en 2012, parmi des individus incarcérés pour infractions pénales, allant de l'assassin au voleur, jusqu'au trafiquant de drogue et au pédophile, des hommes dont la fréquentation changea bien des idées fausses mais humaines que je me faisais du monde parfaitement isolé de la criminalité.

Imaginez que vous passez votre existence, et vivez votre quotidien dans ses détails les plus intimes, dans une pièce de pas plus de vingt mètres carrés, en compagnie d'une trentaine de prisonniers accusés de tout un éventail de crimes et de délits !

Auparavant, comme tout le monde, je m'assurais avant de me coucher que les portes et fenêtres de ma maison étaient verrouillées, par peur des voleurs ; or voilà qu'aujourd'hui je vis parmi eux. Je dors, je mange, je me lave, je change de vêtements, j'exulte et je pleure. J'enrage, je ris, je crie. Tout ça parmi eux, devant eux.

J'ai réfléchi et, après bien des tentatives et d'énormes efforts pour m'adapter à eux, je les ai vus sous un angle différent. J'ai ouvert le rideau de l'autre côté pour pouvoir sonder les profondeurs de leur monde et, après une période assez longue, j'ai eu la preuve irréfutable que les criminels rient aussi. Oui, ils aiment, ils souffrent, avec une sensibilité extraordinaire qui parfois me renverse, lorsque je la compare à celle de mes proches d'antan.

Une anecdote : j'entre dans les toilettes ; j'y trouve quelques feuilles de papier souillées, des excréments partout. La situation est effroyable. Des murs sales, des portes défoncées, rouillées. Me voilà qui tente de m'adapter pour faire face à ce chaos. Et tandis que j'examine avec attention les centaines de graffitis inscrits sur les murs poisseux des toilettes communes de la cellule, mon regard tombe sur la phrase « La laïcité est la solution ». Stupéfait, je me frotte les yeux pour m'assurer que je vois bien ce que je vois.

La scène évoque plutôt une boîte de nuit dans un quartier pauvre, où toutes les femmes sont misérables et laides, et où, au milieu de la nuit, l'apparition d'une jolie fille séduisante redonne soudain aux lieux la gaieté et la vie.

Je ne sais comment ni pourquoi cette image m'est venue à l'esprit. Il semblerait qu'ici, dans cette nouvelle vie, l'état particulier des toilettes joue un grand rôle dans la formulation des pensées. Car dès que je m'assieds sur la cuvette, les idées se bousculent dans ma tête.

Je souris, et me mets à réfléchir à qui a bien pu écrire ces mots dans une prison où s'entassent des milliers de prisonniers de droit commun.

J'ai été aussi émerveillé qu'heureux de découvrir cette belle maxime insolite. Car de la lire là, au milieu des centaines de mots orduriers issus de tous les dialectes arabes qui souillaient ces murs crasseux, prouvait qu'il y avait ici au moins une personne qui me comprenait, et qui comprenait ce pour quoi j'avais été incarcéré. Mais les jours suivants me révélèrent peu à peu une toute autre réalité. Ils firent même pour moi de cet univers criminel un paradis, dans un cadre et selon des règles que je définissais moi-même et qui ne concernaient que moi, reposant sur des convictions radicalement différentes de celles qui étaient les miennes avant la prison. Oui, les toilettes numéro cinq eurent sur moi une grande influence !

Lorsque Ensaf, ma chère épouse, m'a dit que des éditeurs internationaux voulaient réunir mes articles et les traduire pour les publier dans plusieurs langues, j'ai d'abord beaucoup hésité. Je le dis aujourd'hui en toute sincérité : quand j'ai commencé à écrire, je n'imaginais absolument pas que viendrait le jour où mes articles seraient publiés dans un ouvrage en langue arabe ; alors, qu'ils soient traduits dans d'autres langues !…

Chère lectrice, cher lecteur, si vous en êtes à lire ces lignes, c'est que vous voulez savoir ce qui m'anime. Il y a des gens qui pensent que j'ai quelque chose à dire. En revanche, il en est d'autres qui ne voient en moi qu'un être ordinaire, dont les articles ne méritent pas d'être traduits ni publiés. Moi, je ne vois ici que cet homme à l'allure fragile, qui a miraculeusement survécu à cinquante coups de fouet, châtiment reçu à cause des articles que vous êtes en train de lire, et administré au milieu d'une foule ravie qui scandait « Dieu est grand ».

En effet, le tribunal m'a d'abord condamné à mort pour apostasie de l'islam, puis la sentence a été allégée et commuée en 10 ans de prison, assortis de 1 000 coups de fouet et d'une lourde amende d'un million de riyals[1].

J'ai passé environ trois ans à écrire ces articles. J'ai été fouetté, et ma femme et mes trois enfants ont émigré à l'étranger, suite à l'intensification des pressions qu'ils subissaient.

Si ma famille et moi avons enduré de telles épreuves, c'est simplement parce que j'ai osé exprimer ma pensée. C'est à cause de chacun des mots de ce recueil que tout cela est arrivé.

1. Environ 270 000 $.

Terrorisme, guerre et paix

La laïcité, la religion politique
et la critique de la pensée religieuse

Une astronomie conforme à la charia

Paru sur le site web Al-Bilad,
le 7 septembre 2011

Un prédicateur survolté a expressément requis que les astronomes[1] soient châtiés ! Selon lui, « nous sommes depuis quelques années victimes des erreurs commises par les astronomes qui trahissent la perspective religieuse et, si nous ne réfutons pas le principe des calculs astronomiques, cette science ayant toujours existé, nous nous opposons à la remise en cause de ladite perspective ». Il a ajouté que certains de ces astronomes ne sont que des amateurs, alors comment osent-ils contredire des experts religieux qui ont trente années d'expérience dans ce domaine, et ont commencé leurs recherches quand eux n'étaient que des enfants ? Point, à la ligne.

En réalité, cet auguste prédicateur a attiré notre attention sur un point qui nous avait jusque-là échappé, à moi et à mes honorables lecteurs, c'est qu'il existe des « astronomes religieux » ! Quel joli nom insolite, car au gré de ma modeste expérience et de mes recherches non négligeables dans le domaine de l'univers, de son origine, et des planètes, je n'ai jamais rencontré ces termes. Je conseille donc à l'agence spatiale américaine, la NASA,

---

1. Les savants islamiques conservateurs interprètent certains passages du Coran faisant référence à des faits physiques de façon littérale et les considèrent comme irréfutables. Certaines de ces interprétations contredisent les acquis scientifiques modernes, comme la forme de la Terre (qui serait un disque), du cosmos (composé de plusieurs cieux superposés) ou de la trajectoire des planètes (le Soleil contournerait la Terre). Notamment en Arabie Saoudite, les exégètes de la charia soutiennent à ce jour que cette vision du monde est correcte et accusent les auteurs de théories contraires d'hérésie. (CS)

d'abandonner ses télescopes et de s'en remettre à nos « astronomes religieux », dont la vue perçante et la perspicacité surpassent les télescopes défectueux de la NASA ; et nous n'avons pas d'objections à ce que quelques-uns de leurs savants astronomes viennent en délégation étudier et enrichir leur savoir auprès de nos « astronomes religieux », et chanter leurs louanges. Mieux encore, je conseille à tous les autres astronomes du monde, de diverses spécialités, de quitter leurs bureaux, leurs laboratoires, leurs centres de recherche, leurs zones d'expérimentation, leurs universités, leurs instituts, etc., pour se joindre sur-le-champ aux cercles d'études de nos éminents prédicateurs, afin d'apprendre auprès d'eux tout ce qui concerne les sciences modernes, dans les moindres détails, qu'il s'agisse de la médecine, de l'ingénierie, de la chimie, de la microbiologie, de la géologie, de la physique nucléaire et atomique, de l'océanographie, de la pyrotechnie, de la pharmacologie, de l'anthropologie, ou d'autres, ainsi que tout ce qui concerne l'astronomie et l'ingénierie spatiale, bien entendu. Car ils ont prouvé – Dieu les protège – qu'ils sont la référence ultime, qu'ils ont le dernier mot en tout, et qu'ils détiennent la Vérité, à laquelle tous les êtres humains doivent se rendre, se soumettre et se conformer, sans hésitation ni discussion. Tous les pays du monde, sans exception, s'emploient à attirer des chercheurs de diverses spécialités, leur font des offres alléchantes, mettent à leur disposition tout le soutien matériel et technique possible, leur octroient diverses nationalités, et aplanissent toutes les difficultés qu'ils pourraient rencontrer, afin de s'assurer de leur réussite, et de la continuation et du progrès de leurs recherches.

Et nous ? Nous infligeons aux buveurs d'alcool quatre-vingts coups de fouet. Combien de coups de fouet méritent alors ces savants astronomes ?

Rêve de califat

Paru sur le site web Al-Hiwar al-Mutamaddin,
le 18 février 2012

Dans notre pays, de nombreux activistes islamistes rêvent de réinstaurer ce que nous ont légué le calife abbasside Al-Mahdi, les califes omeyades Al-Ma'moun et Al-Moutawakkil, et d'autres califes dont on sait qu'ils ont assassiné leurs opposants – sous prétexte d'hérésie et sous couvert d'islam politique.

Personne ne leur dénie ici leur droit au rêve, sauf qu'il ne s'agit plus simplement de rêve. C'est devenu une activité stratégique et organisée, qui consiste à assommer le grand public de religion et de religiosité, ou au moins de ce que les islamistes considèrent comme telles. Et chacun enchérit sur l'autre en professant son amour du Prophète – Paix et Salut soient sur Lui.

Oui, messieurs, c'est ce qui se passe en ce moment, au XXIe siècle. Car, [...] sans attendre que soit émis un jugement officiel, certains ont osé attaquer ouvertement les tweets de Hamza Kashgari[1], en l'accusant d'être lié au courant progressiste des Lumières en général. Ils se sont mis à dresser les gens contre lui, et à menacer d'entamer une guerre féroce contre tous ceux qui se réclament de la culture et des Lumières, qu'ils considèrent comme une hérésie, une preuve d'athéisme, et une atteinte au sacré.

En effet, un certain courant islamiste extrémiste s'acharne à vouloir rattacher le jeune Hamza Kashgari au mouvement libéral, allant jusqu'à le décrire comme un des plus importants libéraux de ce pays, ce qui est faux ; Kashgari est beaucoup plus proche

---

1. Journaliste et blogueur saoudien, accusé de blasphème suite à une série de tweets où il s'adressait au Prophète, et incarcéré en 2012 pour apostat. (FM)

des Frères musulmans saoudiens, et nul ne le connaissait avant qu'il ne devienne il y a quelques mois chroniqueur au journal *Al-Bilad*. En outre, il n'a jamais parlé explicitement du libéralisme, ni reconnu une éventuelle affiliation à ce mouvement.

Tout cela n'est qu'une vaine et misérable transgression des lois, édictées en haut lieu, qui régissent la presse et l'édition. Les islamistes espèrent en effet traîner devant la justice tout écrivain ou penseur qui n'est pas de la même tendance ou n'est pas d'accord avec eux, et les juger selon les lois de la charia qui s'accordent avec leurs convictions personnelles, et non selon celles de la justice royale prévalant actuellement.

La première affaire de ce genre a débuté en 1998, lorsque l'écrivain et docteur Turki al-Hamad a été excommunié. Les puristes ont réclamé sa tête à cor et à cri, et les réformistes ont été mis au pilori. Leur sanglant appel d'alors fut aussi enflammé que celui dont je vois de nouveau se profiler le spectre cette année.

La question principale est la suivante : qu'a dit Turki al-Hamad pour s'exposer non pas une mais deux fois à la saisie de ses biens, à une arrestation, et à une nouvelle guerre contre lui ? Souvenons-nous, cher lecteur, de cette phrase tirée d'un de ses romans : « Dieu et le diable sont les deux faces de la même pièce. » Al-Hamad s'est expliqué à ce sujet à plusieurs reprises, dans bon nombre d'interviews, et il faut préciser ici que ces mots sont ceux d'un des personnages du roman, et non ceux d'Al-Hamad lui-même. Or citer un blasphème n'est pas blasphémer, comme l'a dit le cheikh Mohammed Ibn Saleh al-Uthaymin[1] – Dieu ait son âme. Du point de vue linguistique, la phrase d'Al-Hamad est correcte et signifie que Dieu et le diable ne se rencontrent jamais et ne s'accordent sur rien, car Dieu le Très-Haut prêche la voie du bien, tandis que Satan le Maudit prêche la voie du mal, la pièce de monnaie représentant la voie ou l'attitude, et ses deux faces ne se

---

1. L'un des plus éminents théologiens saoudiens (1925-2001). (CS)

rejoignant jamais. C'est la profonde dépression de Hisham (celui qui dit ces mots dans le roman d'Al-Hamad intitulé *Al-Karadib*) qui le conduit à s'exprimer ainsi. À l'époque, les décideurs, avec une sagesse qu'il nous faut saluer, ont annulé la fatwa de ceux qui criaient à l'apostat et en appelaient au sang, et le sujet fut officiellement clos.

Mais le courant islamiste a continué pendant quatorze ans à dénoncer dans la sphère publique le blasphème et l'hérésie de Turki al-Hamad, et à répandre la rumeur selon laquelle il représentait un danger, à coups de fausses allégations, en citant seulement la phrase ci-dessus, hors de son contexte et vidée de tout sens et de toute signification. Ce qui souleva les foules contre Al-Hamad dans cette affaire fut que ses détracteurs se saisirent de cette phrase, la postèrent telle quelle sur YouTube, et omirent de citer le commentaire de l'auteur dans lequel il expliquait en détail le rôle de la phrase dans le roman, montant ainsi l'opinion publique contre lui, et réussissant à embrigader les petites gens et les pauvres. Je me souviens d'un incident lorsque Al-Hamad s'est produit au Cercle littéraire de Djeddah. Quand le débat a été ouvert au public, un vieillard s'est approché de l'estrade et a dit ceci : « Je jure que je ne connais pas le dénommé Al-Hamad, et que je n'ai pas lu une seule ligne de lui, mais j'ai entendu dire qu'il a écrit ces mots, et je suis venu pour que Dieu triomphe de cet individu ! » Cet homme n'était qu'un être simple parmi tant d'autres, que ces faussaires de vérité enrôlent en manipulant leurs sentiments, et en exploitant l'ignorance des masses.

À propos de l'anniversaire
du 11 Septembre

Paru sur le site web Al-Hiwar al-Mutamaddin,
le 13 septembre 2010

Coïncidant avec les douloureux événements de l'attentat terroriste du 11 Septembre, qui a coûté la vie à plus de trois mille personnes innocentes, les musulmans de cette ville sinistrée demandent la construction d'un complexe islamique, comprenant une mosquée et un centre social, dans le quartier même où le World Trade Center s'est écroulé sur les victimes de ce jour fatal. Ce qui m'attriste en tant que citoyen appartenant (sans en tirer aucune gloire bien entendu) à cette terre dont sont issus ces terroristes, c'est l'audace des musulmans de New York, audace qui frise l'impudence, et qui ne tient aucun compte des milliers de personnes qui sont mortes ce sombre jour, ni de leurs familles.

Ce qui m'attriste encore davantage, c'est l'arrogance chauviniste des islamistes lorsqu'ils prétendent que le sang innocent répandu par des esprits barbares et sauvages, sous le slogan « Dieu est grand », ne signifie rien en regard de la construction d'une mosquée islamique dont la mission est d'incuber d'autres terroristes. Sans compter qu'exiger la construction d'une mosquée dans cette zone est une provocation flagrante envers la mémoire collective, américaine en particulier et humaine en général, qui n'entérine en aucun cas de telles scènes de massacre généralisé.

La question qui s'impose à moi, d'abord en tant que citoyen du monde, puis en tant que membre du territoire dont sont issus ces terroristes, ne porte ni sur cette arrogance envers l'humanité, ni sur cette discrimination raciste en matière de sang humain, mais sur l'obligation que nous avons de nous mettre un tant soit peu à la place des citoyens américains. Aurions-nous accepté d'être agressés par un chrétien ou un juif, et sur notre sol, puis de lui construire une église ou une synagogue sur les lieux mêmes de l'agression ? J'en doute fort.

En Arabie Saoudite, nous interdisons la construction d'églises, bien que personne ne nous ait agressés ; que dirions-nous donc si celui qui voulait construire cette église avait profané notre sol sacré ? Or n'est-ce pas ce qui s'est passé le 11 Septembre, la profanation d'une terre sacrée et d'une nation, l'Amérique ?

Par ailleurs, ne devons-nous pas nous demander comment il se fait que l'Amérique autorise la présence de prédicateurs islamistes sur son sol, alors que nous n'autorisons aucune forme de prédication sur les terres du royaume ? Il s'agit là de questions devant lesquelles nous ne pouvons plus faire l'autruche, en prétendant que personne ne nous voit ni ne nous intéresse, car nous faisons bon gré mal gré partie de l'humanité, et nous avons les mêmes devoirs et les mêmes droits que les autres.

De la même façon que les autres respectent les différences qui nous caractérisent, nous devons respecter les leurs, et c'est de ce grand principe humaniste que s'est inspiré le roi Abdallah ben Abdelaziz, gardien des deux Lieux saints, pour lancer l'importante et prestigieuse initiative du « dialogue interreligieux », afin que nous soyons tous unis sous le toit de la civilisation humaine.

Nous ne sommes donc pas surpris que l'initiative du gardien des deux Lieux saints ait reçu un tel accueil dans le monde entier, au point que le roi Abdallah est devenu un exemple et une référence au niveau international ; car c'est uniquement grâce à la raison que nous pouvons suivre le rythme d'un monde en perpétuel développement.

Respecter les vues de nos opposants est une marque de courage ; prendre en compte les croyances des autres, leurs choix, et leur droit essentiel à croire en ce qu'ils croient, requiert de nous un certain héroïsme. C'est ainsi que nous comprenons qu'il est tout simplement contraire à toute perspective islamique, religieuse, et finalement humaine, que des membres de notre communauté exigent la construction d'une mosquée dans une zone dont le moins qu'on puisse dire, c'est qu'elle est un lourd fardeau pour la mémoire collective américaine, et celle de toutes les honnêtes gens du monde.

Aux États-Unis, le tissu social et démocratique existant, qui respecte les croyances des autres, la liberté religieuse et le rôle des cultes, aussi différents soient-ils, et qu'ils soient abrahamiques ou non, requiert, en sus de notre plus grand respect et de notre prise en compte des sentiments des familles des victimes, que nous disions, avec courage, non à la construction de cette mosquée à cet endroit précis, car l'Amérique libre est vaste et accueillante, et on peut construire cette mosquée ailleurs que là.

Enfin, il n'échappe à aucun observateur que nos musulmans d'Arabie Saoudite ne respectent pas les croyances d'autrui ; pire, ils considèrent les autres comme des apostats, tout non-musulman étant infidèle et, dans un cadre plus étroit, tout musulman non hanbalite[1] étant dissident. Alors, comment pouvons-nous, avec de tels individus, bâtir une civilisation humaine, et avoir des relations normales avec six milliards de personnes, dont plus de quatre milliards et demi ne sont pas de confession musulmane ?

---

1. Le hanbalisme est la plus conservatrice des quatre écoles de pensée religieuse de l'islam sunnite. (CS)

Vivre et laisser vivre

Libéralisme et société

Pense ce que tu veux

Paru sur le site web Al-Hiwar al-Mutamaddin,
le 12 août 2010

La liberté d'expression est l'air que respire tout penseur, ainsi que le combustible qui enflamme sa pensée. Au fil des siècles, les nations et les sociétés n'ont progressé que grâce à leurs penseurs. C'est grâce aux idées et aux philosophies qui leur sont proposées que les peuples peuvent choisir un système de pensée adéquat, et le développer, pour qu'il les mène jusqu'aux océans de la science, du progrès, de la civilisation et de la prospérité.

Les sociétés du monde entier et les organisations de défense des droits de l'homme demandent aux régimes arabes davantage de réformes dans le domaine de la liberté d'expression. Ils estiment qu'il s'agit là d'un droit essentiel : vous êtes un être humain, vous avez donc le droit de vous exprimer et de penser comme bon vous semble, ainsi que le droit d'exprimer ce à quoi vous pensez ; vous avez le droit de croire et de réfléchir, vous avez le droit d'aimer ou de haïr, vous avez le droit d'être libéral ou islamiste.

Les religions monothéistes ont prôné, et avec insistance, la liberté d'expression. (*) Pourtant, le penseur arabe, même lorsqu'il est partisan de la libre pensée, s'est habitué dans ses textes à entortiller ses idées pour les faire passer. Surtout si les réflexions éclairées et libres qu'il propose sont considérées comme des apostats et des blasphèmes, puisque, dans les idéologies des sociétés arabes, toute pensée libre est un signe de dissolution, de dissidence religieuse, et de sortie du droit chemin.

Est-ce normal ? Bien sûr que non, car le penseur arabe d'une part et la société de l'autre agissent anormalement. Il faut que le penseur exprime ses idées ou sa philosophie de la vie avec sincérité et audace, même si celles-ci comportent quelques erreurs, ou nagent seules à contre-courant de la « tradition religieuse ». La société, en revanche, doit s'ouvrir à toutes les formes de pensée et à tous les courants intellectuels, et se réserver un espace pour entendre les opinions des autres, afin de pouvoir les critiquer de manière constructive, en engageant un dialogue créatif, avec pour objectif d'évaluer et de développer l'idée, et non de la rejeter sous le seul prétexte d'une différence d'opinions.

L'observateur de la société arabe la voit gémir et ployer sous le joug d'un ordre théocratique qui attend seulement d'elle qu'elle s'incline devant les hommes du clergé et leur obéisse aveuglément.

Et de fait, incontestablement, ces sociétés s'astreignent à leur devoir de loyauté au clergé, au point que toutes ses fatwas et toutes ses exégèses deviennent des vérités absolues, sacrées même. Il suffit qu'un libre penseur exprime son opinion pour que des centaines de fatwas, émises par des cheikhs qui rivalisent de zèle en la matière, viennent excommunier et menacer le penseur en question pour la simple raison qu'il touche au domaine du sacré.

Ce que je crains le plus, c'est que de brillants esprits arabes s'exilent en quête d'air pur, là-bas, loin des sabres de l'autoritarisme religieux.

Vivre et laisser vivre

Paru sur le site web Al-Jazira,
en avril 2012

1/ Bien de ceux qui fustigent le terme *libéralisme* ignorent en réalité ce qu'il veut dire. Bien plus, ils essaient constamment de répandre auprès du public l'idée que le libéralisme s'oppose à la religion, le plaçant ainsi de fait au rang des religions. C'est une erreur. En réalité, la plupart d'entre eux s'opposent par principe à tout ce qui est nouveau, et à tout ce qui donne à l'homme sa liberté, pour ne pas couper l'herbe sous le pied des prédicateurs qui manipulent les esprits, et continuent de répandre l'idée que le libéralisme est synonyme de déchéance morale et de dépravation.

2/ Dans les sociétés libres où cohabitent toutes les approches intellectuelles, [...] chaque courant intellectuel peut exposer et diffuser ses idées. Les gens peuvent choisir parmi ces approches et ces opinions celles auxquelles ils veulent adhérer. Mais imposer au public une approche intellectuelle unique, une façon de penser unique, et une idée dominante qui dénigre sans cesse les autres et clame qu'elle est seule détentrice de vérité, puis prétendre que c'est le public qui rejette le libéralisme, c'est inacceptable. Laissons donc tout le monde entrer en scène, et nous verrons alors ce que choisiront les gens.

3/ Le libéralisme n'est pas lié au comportement d'un individu en propre, et il n'est pas juste de parler du comportement d'un individu qui se prétend libéral et pratique le contraire, puis de dire : « Voilà ce qu'est le libéralisme », car tout être se représente lui-même, et sa pensée ne représente que lui. Le libéralisme n'idolâtre ni l'individu ni ses sources de référence, car aucun homme ne peut être considéré comme un symbole du courant libéral, et, quand les hommes changent leur fusil d'épaule, le libéralisme ne disparaît pas pour autant, parce qu'il ne s'appuie ni sur les références ni sur les autorités.

4/ En bref, je dirai que le libéralisme, c'est vivre et laisser l'autre vivre ; autrement dit, il faut que nous décidions tous de respecter chez l'autre les habitudes et les comportements individuels, en ce qu'ils relèvent strictement du domaine de l'individu et de son environnement personnel. Un des droits essentiels de l'être humain est de dire ce qu'il veut et de faire ce qu'il veut, à condition que cette liberté soit soumise à la loi, puisque la liberté s'arrête là où commence celle d'autrui.

Le libéralisme est-il
l'ennemi de la religion ?

Paru sur le site web Al-Jazira,
en mai 2012

Cette question fit l'objet d'une discussion lors d'une assemblée publique, suite à la série d'articles que j'avais commencé à écrire sur le libéralisme. La plupart des personnes présentes étaient convaincues que le libéralisme est hostile à toutes les religions, et plus précisément à la religion musulmane, tout en le considérant lui-même comme une religion extrême. C'est là précisément que l'on voit l'ambiguïté de la définition superficielle du terme libéralisme dans notre mémoire collective, pour notre société qui a grandi et vit dans une culture d'opinion et de doctrine unique. Le libéralisme y est une hérésie, une désertion de la religion et une déchéance morale, un havre de la nudité et des unions homosexuelles, et bien d'autres choses encore dont on a empoisonné les cerveaux de notre société, en leur faisant croire qu'elles représentent le vrai visage et la chair du libéralisme, son expression et sa pratique. Un écrivain français a su définir le concept de libéralisme. Malgré les multiples acceptions du terme, et malgré les transformations successives qui en ont altéré la perception, on peut ramener le libéralisme à l'idée principale suivante : l'humanité a atteint sa majorité ; elle est en mesure de mener ses propres affaires sans aide extérieure. Un régime politique qui adopte une approche libérale est un régime qui croit en la capacité des humains à se donner les moyens de progresser grâce au dialogue, et à corriger ses erreurs au fil de ses expériences successives. Le libéralisme repose essentiellement sur le principe de la liberté individuelle et du respect de la liberté des autres. C'est un état de tolérance mutuelle absolue, à condition qu'il ne le cède ni au scepticisme ni à l'indifférence ; car le libéralisme a un idéal, le progrès, et la conviction que la liberté en soi est un Bien et a pour ambition le Bien, que la vérité naît du dialogue, et que l'humanité tend naturellement à s'améliorer à l'infini.

En effet, une humanité mature et intelligente est le catalyseur et le seul moteur qui permettent à l'être humain de construire les sociétés, et de promouvoir la tolérance, la créativité, l'art et le progrès technologique. Aucune religion quelle qu'elle soit n'est liée au développement de l'homme et de la société civile, ce qui n'enlève rien à aucune d'elles, car les religions ne sont que l'expression d'une relation spirituelle, précise et particulière entre l'individu et le Créateur, et le Coran est un grand livre pour le pur culte divin. (*) De sorte que les règles juridiques du droit positif sont une nécessité incontournable pour l'homme et la société ; la réglementation de la circulation, le code du travail et les lois qui régissent l'administration d'un pays dans tous les domaines ne peuvent en aucun cas s'inspirer de la religion.

Le libéralisme garantit l'expression de toutes les libertés in-dividuelles, y compris le libre exercice du culte, sans infliger à la société la tutelle ou la tyrannie d'une doctrine, et nul n'est contraint d'observer un rituel sous la contrainte ou la force ; cela est pour l'être humain un acquis, qui ne doit souffrir ni conces-sions ni laxisme.

Ceux qui s'y opposent, ce sont les islamistes, et une poignée de membres de l'extrême droite réactionnaire européenne qui se réclame du Moyen Âge, détractrice de la Révolution française, et loyale à l'Église et au féodalisme. Dans l'idéal libéral, la religion est un simple choix individuel et personnel ; un État libéral est un État sans religion, ce qui ne veut pas dire qu'il est athée, mais qu'au contraire il garantit à toutes les religions le droit d'exister, et qu'il les soutient et les encourage sans aucune discrimination, et sans en promouvoir une aux dépens des autres, ni favoriser les convictions d'une majorité. Le libéralisme est aussi une construction cognitive, et offre à tous la possibilité d'une existence libre et digne, vision conforme à celle de la religion divine qui toujours prône le Bien, l'amour et la paix.

Mille et une nuits

À propos des relations
entre hommes et femmes

La femme à ses côtés

Paru sur le site web Al-Bilad,
le 10 septembre 2011

Ma grand-mère paternelle, originaire du sud du pays, me parlait de la vie simple et ouverte que menaient en son temps les femmes, aux côtés des hommes leurs frères, travaillant aux champs, contribuant dans tous les domaines, travail, célébrations, prises de décision, et autres aspects du quotidien, ce qui prouve incontestablement que cette société rurale était à tout point de vue une société civile libérale.

Elle me parlait des rituels des fêtes, auxquelles les femmes participaient directement, en prenant part à ce qu'on appelait la *khutwa*, une danse du folklore populaire, dans une ambiance civilisée à laquelle personne ne s'opposait en cette époque pas si lointaine. Les femmes travaillaient avec les hommes dans les champs, et exerçaient à leurs côtés la plupart des métiers et professions, dans les souks et ailleurs, sans se préoccuper de cette phobie de la mixité que nous avons inventée il y a une trentaine d'années.

Il est vraiment surprenant de constater l'ampleur de la contradiction qui existe au sujet de la mixité au travail dans notre pays. Nous voyons par exemple, dans les quartiers de luxe et les grands centres commerciaux de la ville de Djeddah, des entreprises où des femmes travaillent sans aucun problème, et sans que nul trouve à y redire. On découvre en revanche que la majorité des petites entreprises établies au sein de ce qu'on a coutume d'appeler les quartiers populaires interdisent aux femmes de travailler et, si l'une d'elles ose recruter une femme, employeur et salariée doivent rendre des comptes et être châtiés, malgré l'absence de toute loi explicite stipulant qu'il faut sanctionner toute entreprise où femmes et hommes travaillent côte à côte. Il existe au contraire des lois et des décrets ministériels clairs et formels qui statuent sur le travail des femmes dans un cadre clairement défini par le ministère. D'ailleurs, les femmes participent déjà, et avec compétence, au travail hospitalier par exemple. Pourquoi alors cette affaire s'égare-t-elle, et jusqu'à quand s'égarera-t-elle, dans le labyrinthe des différents courants de pensée ?

La question est simple : la femme travaille au même titre que l'homme dans le domaine public ; elle a autant besoin que l'homme de travailler, parfois même beaucoup plus que lui. Alors, allons-nous enfin abandonner notre discours machiste stérile, et fermer la porte aux grandes excuses ? Ou allons-nous continuer, comme nous le faisons aujourd'hui, à nous en prendre aux Saoudiennes qui ont besoin de gagner leur vie ?

À vouloir trop les réprimer, on pourrait en conduire certaines à choisir la voie de l'illégalité, pour gagner leur pain quotidien.

Des *mahaarim*[1] – pour nos chercheuses

Paru sur le site web Al-Bilad,
le 12 décembre 2011

La presse nous fait part d'une nouvelle pas moins affligeante que celles qui concernent la misère et la pauvreté, et pas moins cocasse qu'une comédie : le ministère de l'Éducation supérieure a accordé aux chercheuses saoudiennes en Grande-Bretagne huit semaines pour attester l'existence d'un *mahram*[1].

Cette nouvelle présente deux curieux paradoxes.

Premièrement, le ministère de l'Éducation ne s'adresse qu'aux chercheuses en Grande-Bretagne, bien que des milliers de chercheuses saoudiennes vivent dans plusieurs autres pays, ce qui est une indication sérieuse que ce durcissement et la fièvre qui l'accompagne proviennent de notre bureau culturel de Londres.

Deuxièmement, de tels propos sont réellement dévalorisants pour les femmes et, plus encore, une honte devant les universités et les institutions gouvernementales et nationales du pays d'accueil.

Chers responsables de ce ministère, et plus précisément de cette circulaire, sachez que ces chercheuses saoudiennes sont des femmes comme le professeur Adah al-Mutairi[2] ou le docteur Hayat Sindi[3], et mille autres tout aussi novatrices, qui ont fait honneur à leur pays dans divers domaines ; nous avons donc le droit d'être fiers d'elles et de chanter leurs louanges.

---

1. Le *mahram* – pluriel *mahaarim* (« interdit ») est un parent qu'une femme ne peut légalement épouser et qui peut donc lui servir de tuteur ou de chaperon. (FM)
2. Professeur associée et directrice du Centre d'excellence de nanomédecine de San Diego. (CS)
3. Docteur en biochimie, ambassadrice de bonne volonté de l'Unesco. (CS)

On finira par apprendre que le docteur Unetelle a été licenciée et aussitôt embarquée dans un avion, direction l'Arabie Saoudite, parce qu'elle n'avait pas de « chaperon » !

C'est une honte, vraiment.

Du *misyar*[1] et du « bouc d'emprunt »

Paru sur le site web Al-Bilad,
le 8 janvier 2012

Chacun sait que le mariage a plusieurs noms et plusieurs formes, et qu'il existe, outre le mariage légal, d'autres unions qui, bien qu'admises par la religion, sont contraires à la morale et au bon sens. Parmi elles figure le *misyar*, qui n'est en réalité qu'un acte strictement sexuel, et qui représente pour la femme une exploitation. Le *misyar* est l'union consentie d'un homme et d'une femme, devant témoins et en présence d'un tuteur, par laquelle la femme renonce à tous ses droits matériels sur la maison, à toute pension alimentaire pour elle et ses éventuels enfants, et à certains de ses droits légitimes, comme de vivre sous le même toit que l'autre épouse, et par laquelle elle accepte de se contenter des visites occasionnelles de l'homme en question. C'est-à-dire qu'il peut « passer voir » quand bon lui semble la « prétendue épouse » à laquelle un simple papier le lie, pour s'offrir une nuit de braise digne des *Mille et Une Nuits* au nom de la religion, et sous le couvert d'un contrat officiel incontesté. L'« époux » rend visite à sa « femme » quand il n'a rien d'autre à faire, et ne passe avec elle que quelques heures (pour assouvir un caprice passager et épancher un trop-plein de désirs refoulés), puis il repart d'où il était venu, et cesse sur le pas de la porte de jouer son rôle d'« époux » présumé.

Et puisque j'en suis aux « noces bestiales », considérons une autre forme de mariage dans laquelle un homme, le « bouc

---

1. Le « nikaah al-misyar », ou « mariage du voyageur », est une disposition juridique qui permet à un couple musulman d'être légalement « uni » sans que l'époux ait à s'engager financièrement vis-à-vis de son épouse. (FM)

d'emprunt », passe la nuit avec une épouse « louée » pour un seul jour, puis la quitte en lui rendant sa liberté, pour qu'elle puisse retrouver son premier mari[1].

Il y a, parmi les bizarreries du comportement de l'être humain, sa propension à se forger lui-même les fers qui le blessent, et à inventer des légendes qu'il tient à la fin pour sacrées, des mensonges auxquels il finit par croire, ou encore des unions qu'il finit par légitimer.

Finalement… *misyar* ou autres noces de convenance, les causes sont multiples, mais la mort et l'obscénité sont unes[2].

---

1. Selon la loi musulmane, l'homme, pour divorcer, doit réitérer par trois fois la formule de répudiation qui met fin à la vie commune. La troisième répudiation rendant la rupture définitive, l'homme ne peut se remarier avec la même femme que si celle-ci a entre-temps épousé un autre homme, consommé le mariage, puis divorcé. (FM)

2. Allusion à un vers devenu maxime du poète Ibn Nabata al-Sa'adi (Bagdad, 941-1014) : يمت بالسيف مات بغيره تعددت الأسباب والموت واحد ومن لم » (« Qui ne meurt pas par le sabre meurt autrement. Les causes sont multiples, et la mort est une »). (FM)

Mixité

Paru sur le site web Al-Jazira

Pour la première fois dans l'histoire de la Foire internationale du livre de Riyad depuis sa création, les organisateurs ont déclaré que l'accès était ouvert tous les jours aux deux sexes, contrairement à ce qui était le cas précédemment. Il faut remercier le ministère de la Culture et de l'Information qui organise l'événement, car, avec ce pas en avant, nous devons clarifier la confusion importante qui règne entre les termes de mixité et de *khulwa*, le malentendu ayant été prétexte à assimiler les deux termes, afin de fermer la porte à toute recherche sur ce sujet.

Définissons tout d'abord le terme de *khulwa* au regard de la loi. Cela consiste à se retrouver seul avec une personne du sexe opposé, dans un lieu clos, sans voir quiconque ni être vu par une tierce personne. Il s'agit donc là d'une situation à caractère extrêmement secret, difficilement décelable, et qui pourrait conduire – j'insiste sur le conditionnel – les deux personnes en cause à se livrer à un acte prohibé. Cependant, la législation ne considère pas la *khulwa* comme un acte proscrit ni interdit, et ne prévoit pas de sanction légale. Le Prophète – Paix et Salut soient sur Lui, a simplement dit : « Si un homme et une femme s'isolent, le diable se joint à eux. » Ce hadith ne proscrit donc pas la *khulwa*, et n'érige pas en règle générale un éventuel triomphe du diable sur les personnes en cause, car, si la présence du diable constituait un interdit légal, on pourrait proposer de proscrire la fréquentation des souks, puisque tous les diables s'y rassemblent.

Le terme de mixité s'applique lui à la présence d'hommes et de femmes dans un lieu public, comme dans les mosquées, lors des pèlerinages du Hajj ou de la 'Umra à La Mecque, pendant les guerres, lors d'événements sociaux – mariages ou autres –, dans les transports publics, les universités, les écoles, les lieux de travail, etc. La mixité n'est pas interdite, et celui qui affirme qu'elle l'est déforme la parole de Dieu et de son prophète en interdisant ce qui n'est pas interdit ; car seul le Coran établit ce qui est proscrit ; c'est un droit réservé à Dieu et à lui seul, et aucun homme ne peut interdire ou autoriser quoi que ce soit de son propre chef. (*)

À l'époque du Prophète – Paix et Salut soient sur Lui –, les femmes participaient à la prière directement derrière les hommes, et sans que rien les sépare d'eux (contrairement à ce qui se pratique de nos jours dans les lieux de culte), de même priaient-elles sans couvrir leur visage, ce qui n'est pas le cas aujourd'hui où nous les obligeons à se voiler la face dans l'enceinte de La Mecque et de Médine, en contradiction avec la loi de l'islam !

Car la mixité était chose courante au temps de la Révélation, et les écrits et hadiths indiquent que la femme partageait alors l'existence de l'homme – son frère – dans divers domaines de la vie sociale et politique.

Il est donc désormais de notre devoir de ne plus écouter les voix des extrémistes qui réclament l'interdiction de la mixité, non seulement pour ce qui est de la Foire du livre, mais encore dans d'autres domaines de la vie courante, et d'offrir la libre concurrence et l'égalité des chances aux citoyens des deux sexes d'un même pays. Cela nous permettra de rejeter les sempiternelles accusations d'extrémisme et de terrorisme religieux qui nous affectent à tout moment. Allons-nous enfin nous réveiller et prendre le train en marche ?

Une culture de la mort

La politique du Proche-Orient
et le printemps arabe

Pour une culture de la vie !

Le Hamas et la coexistence avec Israël

Paru sur le site web Al-Hiwar al-Mutamaddin,
le 15 septembre 2010

Un ami originaire d'un pays du Levant m'a demandé quelle serait ma position si le Hamas parvenait à libérer la Palestine. Je lui ai répondu sans hésiter que je serais le premier à le combattre.

Mon ami, abasourdi par cette réponse, s'est écrié : « Tu combattrais le Hamas, même s'il libérait la Palestine ?! »

Je lui ai dit que oui, et même si Israël était rayé de la carte, bien que je sois certain que cela n'arriverait pas ; mais, même si c'était le cas, je serais le premier à le combattre.

Un moment après, brisant le silence qui s'était installé, j'ai calmement continué de lui répondre.

Je ne suis pas pour l'occupation d'un pays arabe par Israël, mais, en revanche, je ne veux pas remplacer Israël par une nation islamique qui s'installerait sur ses ruines, et dont le seul souci serait de promouvoir une culture de mort et d'ignorance parmi ses fidèles, à une époque où nous avons désespérément besoin de ceux qui en appellent à une culture de vie et de développement, propre à cultiver l'espoir dans nos âmes. Regardons tous les pays fondés sur la pensée religieuse, regardons leurs peuples et les générations qui y grandissent ; qu'offrent-ils en termes d'humanité et d'humanisme ? Rien, c'est certain, sinon la peur de Dieu et l'incapacité à affronter la vie ; rien d'autre. De telles pensées ont formé et continuent de former des générations inaptes à toute créativité, à toute culture, incapables même de s'inspirer des civilisations qui leur viennent d'ailleurs, puisqu'elles ne sont pas à même de construire la leur.

Les principales fonctions des États religieux sont de tuer la rai-son, de lutter contre les enseignements de l'histoire et la logique, et d'abêtir les gens ; il est impératif de s'élever contre une telle mentalité, et de les empêcher de continuer à tuer l'être humain, tant qu'il respire et qu'il est encore en vie.

Ce dont nous avons le plus besoin dans nos sociétés arabes et islamiques, c'est de promouvoir la valeur de l'individu, de défendre sa liberté et de respecter sa pensée, or ces idées sont considérées par les États religieux comme les premières à devoir être combattues. Revenons à l'époque du Moyen Âge, et voyons dans quel état se trouvaient les sociétés européennes, à cause de la domination des hommes du clergé qui gouvernaient au nom de Dieu.

Ils s'ingéraient dans les moindres détails de la vie quotidienne des gens et, tandis que partout régnaient l'obscurantisme et l'igno-rance, les religieux qui s'employaient jour et nuit, du matin au soir, à entretenir l'ignorance pour en tirer profit s'enrichissaient de manière obscène, au point qu'ils en vinrent à vendre des in-dulgences qui permettaient de s'assurer une place au paradis ! Comment ne pas s'élever contre de telles absurdités ?

Mais voyons ce qui s'est passé lorsque les peuples européens ont réussi à écarter les religieux de la vie publique, et à les confi-ner dans leurs églises sans qu'ils jouent plus aucun rôle à l'exté-rieur. Les nations européennes se sont transformées en pays mus par la volonté de civiliser, de construire l'individu, et d'exporter la connaissance et le savoir dans l'humanité tout entière, pour redonner à leurs sociétés une culture de vie, de lumière, de créa-tivité, et l'envie de se rebeller contre l'ignorance dans tous les domaines. En revanche, la mentalité religieuse qui régit chaque détail de notre vie s'acharne tous les jours à consacrer et à im-poser son interprétation de la doctrine religieuse salafiste – une doctrine qui remonte à des centaines d'années, sans tenir aucun compte de toutes les transformations et révolutions intellectuelles qu'a connues et que continue de connaître le monde. Est-il donc concevable d'avoir aujourd'hui, à la lumière de tous ces bouleversements, des idées aussi arriérées ?

Les États fondés sur la religion enferment leurs peuples dans le seul cercle de la foi et de la peur, tandis que les autres, comme l'a dit le cheikh de la pensée arabe Abdullah al-Qasimi[1], leur permettent d'exprimer leurs désirs et leurs talents, leur créativité, et leur soif de vie et de civilisation.

Si nous ne travaillons pas dès aujourd'hui à réécrire notre histoire, loin de la domination qu'exercent les religieux sur notre vie, et si nous ne redéfinissons pas les bases de notre culture et de notre conscience et ne donnons pas au futur un nouvel horizon, nous continuerons toujours d'être à la traîne, et de nous vautrer dans une ignorance désormais inacceptable. Pendant ce temps, les peuples civilisés jouissent de la vie et de l'espoir en des lendemains meilleurs, et, mieux encore, exportent le bien vers les pays en développement. Allons nous enfin nous réveiller ?

1. Écrivain et intellectuel saoudien (1907-1996), très contesté dans le monde arabe pour être passé de défenseur du salafisme à celui de l'athéisme. (FM)

Le tournant

Paru sur le site web Al-Hiwar al-Mutamaddin,
le 11 février 2011

Les convulsions que connaît l'Égypte en ce moment ne sont pas seulement celles d'un accouchement douloureux, alors que trente années de régime fasciste ont bridé le potentiel du pays et les rêves de ses habitants, tuant en eux le souffle de l'espoir, du renouveau, du chant et des beaux-arts.

Ce que vit aujourd'hui l'Égypte n'est pas uniquement un acte de désobéissance civile de la part des écoliers, des étudiants, des marginaux et des jeunes des tréfonds de la ville. C'est une révolution dans tous les domaines et un tournant final et décisif, non seulement pour l'histoire et la géographie de ce pays, mais encore pour toutes les zones géographiques arabes où règnent des mentalités dictatoriales et sécuritaires.

Car les jeunes de la révolution du 25 janvier ont réussi à faire de la place Tahrir le point de départ de ce qui ne serait pas moins que la chute d'un pouvoir politique totalitaire, régi par une mentalité sécuritaire qui l'a éloigné de la réalité de son peuple, un peuple qui souffre et continue de se battre chaque jour pour une galette de pain (qui ne suffit pas à faire vivre un homme). Alors, pourquoi ne réclameraient-ils pas la garantie d'une vie décente, comme celle que connaissent les peuples civilisés ?

Le régime égyptien a disparu de la vue de son peuple pendant plus de quarante ans, et a vécu dans son pays comme un touriste étranger, en ne connaissant des difficultés de ses citoyens que leur nombre qui augmentait rapidement, mais sans en éprouver la moindre angoisse, car les rapports déposés chaque jour par les hommes des services secrets sur le bureau du président affirmaient que ses ouailles étaient plongées dans un profond sommeil et que l'ordre et la sécurité régnaient.

Le régime égyptien n'a pas imaginé que ce peuple affaibli par la faim plus que toute autre chose connaîtrait un 25 janvier différent des précédents, de même qu'il n'a pas pensé que le fleuve de l'histoire sortirait de son lit, et entraînerait dans un courant tumultueux la pourriture dans laquelle le régime s'attardait depuis trente ans que Moubarak était au pouvoir.

Et il n'est pas venu à l'esprit de ceux qui manient le bâton sécuritaire que la place Tahrir ferait tomber le masque d'un passé d'abus et d'oppression, en quelques jours, avec des pertes minimales, de même qu'il n'est venu à l'esprit d'aucun des peuples qui entourent l'Égypte que quelques jeunes Égyptiens pourraient faire trembler la terre sous les pieds de leurs dirigeants, et leur arracher victoire après victoire.

Le 25 janvier a prouvé que tout processus de changement n'était pas impossible, et les insurgés de la place Tahrir ont montré que la volonté des peuples n'est jamais vraiment vaincue, surtout lorsqu'un gouffre profond s'est creusé entre le régime et le peuple ; la révolution du 25 janvier a également révélé la profondeur de la crise des institutions, qui s'appuient sur les rapports des services secrets, sans se préoccuper d'un peuple qui bouillonne de l'intérieur.

L'Égypte est donc sur le point de changer, c'est d'ores et déjà clair, et nous avons désormais l'espoir de voir éclore une nouvelle Égypte, née des entrailles douloureuses de ses habitants et de ses étudiants, eux qui ont fait de la place Tahrir le théâtre d'un événement historique exceptionnel, où ont retenti les acclamations de ceux qui étaient enfin libres, et qui a vu la fin d'une période d'asservissement imposée pendant de longues et sombres années par un régime pourri.

Je te salue, ô peuple fier enfin sorti de son sommeil, même s'il fut long, et je te salue Tahrir, toi que les corps des étudiants ont transformée en un festival en plein air, mais mû par la passion de la liberté, non de la danse, passion qui nous fait redire, avec Cheikh Imam[1], sa célèbre stance :

« Les étudiants sont revenus, oncle Hamza, et cette fois c'est du sérieux.

« Et toi l'Égypte tu demeures, tu es la source de l'espoir. »

---

1. Chanteur et compositeur égyptien engagé (1918-1995). (FM)

La patrie est le bien le plus sacré
de tous les sanctuaires

Paru sur le site web Al-Bilad,
le 14 septembre 2011

« Plus la vision s'élargit, plus la phrase semble étriquée. » Ce sont là les mots d'Al-Niffari[1], un des plus grands imams soufis de Bagdad, il y a des siècles, à une époque arabe florissante. Les retrouver dans ma mémoire encore vivace suffit à faire surgir en moi, et avec force, les images de la célébration de notre fête nationale, dans notre pays, l'Arabie Saoudite. Il semble en effet que plus le concept de nation s'élargit pour inclure tout un chacun, plus le sectarisme, le tribalisme, le régionalisme et la pensée unique étriquent l'esprit de certains de nos concitoyens. Un des plus nobles principes fondateurs des nations, c'est de ne pas les mesurer à l'aune d'un seul individu, d'une seule pensée, d'une seule région, ou d'une communauté à l'exclusion des autres, car la nation appartient à tous sans exception, et la nation s'élargit pour tous ses enfants, quelles que soient leurs visions ou leurs tendances intellectuelles.

Si l'on s'en tient à ce concept de nation, chacun peut alors célébrer son appartenance à cette terre, cette zone géographique, ce sol, et nous pouvons aussi, en tant que Saoudiens, célébrer notre fête nationale ; car il ne s'agit pas ici de fêter seulement la nation, mais de nous fêter pour ce que nous sommes.

Lorsque nous fêtons la nation, nous fêtons les droits de nos concitoyens, enfants de ce pays. Célébrer la fête nationale, c'est franchir l'étroite frontière de la pensée unique ; car il faut voir

---

1. Mohammed Ibn Abdallah al-Niffari, mystique irakien errant du Xe siècle, proche de l'école soufie de Bagdad. (FM)

dans les principes de nation et de citoyenneté le triomphe de la multiplicité des idées, des raisonnements, et des orientations, et, ce faisant, le triomphe du concept de société civile. Personne ne peut nous reprocher nos festivités à cette occasion, occasion chère à nos cœurs. Nous ne permettrons pas, tout simplement, le retour d'une pensée aussi sclérosée, et nous nous y opposerons de toutes nos forces. Célébrer la fête nationale, c'est à la fois éradiquer de tels fossiles, et réaffirmer en cette occasion la nécessité et l'importance de la diversité du tissu social de notre nation, une nation qui s'est ouverte à tous, y compris à ceux qui rejettent leur appartenance à ce sol et à cette zone géographique et lui préfèrent une idéologie marginale, qui nuit avant tout à la réputation de notre pays à tous les niveaux, locaux, arabes, régionaux et internationaux.

Le mot nation est un terme important dont ne connaissent la valeur et le sens que ceux qui font preuve d'une abnégation totale envers elle, car ils savent qu'elle est sacrée au point de passer avant tout. Ceux-là lui offrent pour la défendre, leur âme, leurs biens et leur descendance. Bonne fête, ô mon pays, et bonne fête à vous, fils et filles de mon pays.

Le printemps arabe,
entre « le choix de la laïcité et le mythe du modèle »

Paru sur le site web Al-Jazira

Je peux dire avec certitude, du moins jusqu'à maintenant, que si les mots « Association des rationalistes arabes » apparaissent sur un livre, je sais que l'ouvrage mérite d'être lu plusieurs fois avec attention, car jusqu'à présent les publications de l'association ont démontré, avec un sérieux qui ne fait aucun doute, que ce qui lui importe n'est pas le nombre de livres qu'elle publie, mais leur portée et la profondeur des idées qu'ils abordent.

Lorsqu'on lit l'ouvrage du grand penseur marocain Said Nashid, intitulé « Le choix de la laïcité et le mythe du modèle », et publié par l'Association des rationalistes arabes, avec la participation de la maison d'édition Al-Tali'a sise à Beyrouth, on s'aperçoit qu'il est un de ces rares essais qui vous obligent à plusieurs relectures soigneuses, sans ennuyer ni lasser jamais le lecteur ou le chercheur. Et je n'exagère pas si je vais plus loin et ajoute qu'il a influencé ma conception du modèle de laïcité occidental à l'état pur, et m'a mené au bord d'un vertigineux abîme de tourments, à force de le relire, et d'y découvrir tant d'idées pertinentes.

Dans sa préface à l'ouvrage, l'auteur pose la question suivante : qui lui donne le droit de prendre la plume, ou d'ouvrir la bouche, pour dénoncer l'« hypocrisie laïque » de nations plus développées que lui et que son propre peuple ?

Et encore : qui est-il pour oser critiquer des nations devant qui il devrait s'incliner, puisqu'elles représentent un modèle d'avenir qui lui échappe encore [...] bien que nous soyons à l'aube du troisième millénaire.

Ces questions hypothétiques sont d'ordinaire émises par des adeptes de l'autoflagellation ; or, ici, c'est en exergue à son livre, et avec une intelligence aiguë, que Nashid les pose. Sa réponse, ou plus exactement ses réponses sautent aux yeux dans l'ouvrage tout entier.

Nashid mise ici sur la motivation et l'intelligence des élites et de la jeunesse arabe pour inventer et formuler un nouveau modèle de laïcité purement arabe, qui ne ressemble à aucun modèle occidental, et qui soit né de deux parents légitimes et du corps de sa communauté. Nashid évoque les bâtisseurs de civilisation et les hommes qui ont fait l'histoire, et rappelle qu'ils ont agi sans avoir à leur disposition de modèle emballé et prêt à l'usage, notant que les révolutionnaires français n'ont cherché aucun modèle dont s'inspirer pendant la Révolution, et que, s'ils en avaient eu un, ils n'auraient pas pu inventer l'illustre modèle républicain français. Nashid évoque aussi les rédacteurs de la Constitution américaine et les Russes bolcheviks, de même qu'il examine le printemps arabe, et les révolutions politico-sociales qui ont fait chuter les plus grands et les plus célèbres régimes policiers de notre monde arabe.

En réalité, si un penseur, quelles que soient sa position ou son importance, ose dire que le modèle laïque européen à l'état pur n'est pas une solution, il se promet les foudres de l'enfer, et offre sa poitrine nue aux feux des traditionalistes et autres partisans du paternalisme. Mais si nu que Nashid se fût trouvé face à ces gens-là, il a réussi, et avec brio, à tracer sur la carte une nouvelle feuille de route qui nous délivre de l'étroit goulot du modèle laïque dont nous étions jusqu'alors prisonniers.

S'ils essaient de copier, dit Nashid, ils feront comme bien d'autres des expériences risibles ou insignifiantes, des expériences dont on ne parle qu'en tant qu'anecdotes.

Toute innovation semble dans un premier temps s'écarter du possible ou friser l'impossible, mais les nouveaux mondes ne naissent en général que sur le bûcher des habitudes. L'obsession du modèle est une extension de l'image du père chez le jeune enfant, et chez les peuples arriérés et les élites immatures l'expression de la quête d'un modèle plus grand et plus parfait.

Faisons de cette assertion un slogan politique limpide : l'État laïque sera un État orphelin, non seulement orphelin du doute, mais orphelin aussi du giron et des bras de tous les archétypes.

Et puis ? La véritable conscience laïque ne cherche pas de père de rechange à la laïcité.

Et puis ? Pour écarter le moindre doute, à l'ère des *mutashabihat*[1], nous dirons au clown qui s'autoflagelle, un peu pour le plaisir et beaucoup pour faire peur : le modèle islamique est mort, et il est inutile de s'autoflageller pour punir le cadavre.

Le spectacle est ennuyeux ; que le rideau tombe ! Discutons plutôt du problème en profondeur. *Quid* du modèle occidental ? Le climat culturel actuel et la nature des nouvelles orientations économiques font que ce présumé modèle occidental menace désormais l'avenir de la modernité et de la démocratie, les valeurs des Lumières, et les principes de la Révolution française.

Il s'écarte peu à peu des promesses du siècle des Lumières, pour se diriger vers un objectif résolument à droite, religieux, conservateur, et parfois colonialiste. Ce modèle occidental, qui s'est fondé sur la doctrine de la puissance et de la supériorité, mise sur l'exploitation des peuples pauvres pour financer sa dette extérieure, sur l'héritage des partitions coloniales, sur la protection de certaines tribus et forces armées dans les provinces de l'Est et du Sud, et sur le legs de la guerre froide et des dizaines de réseaux religieux qui représentaient un antidote contre l'attrait du communisme. Ce modèle lourd de l'illusion de posséder les clés de

1. Passage obscur ou non explicite dans le Coran.

la révolution et les secrets de la puissance commence à menacer les valeurs qui ont fait le charme de l'Occident pendant bien des décennies : la raison, l'égalité, la paix universelle, la protection de l'environnement, la coexistence, et aussi… aussi… l'éventualité de l'immortalité de l'espèce humaine.

Il commence à menacer le bien-être des citoyens jusqu'au sein des sociétés occidentales.

Il menace l'unité de l'espèce humaine, et peut-être même sa pérennité, à une époque où l'arche de Noé n'a plus sa place.

Maintenant que tu as posé le fouet avec lequel tu te flagelles, ne te tords pas les mains de désespoir. Il faut retourner les cartes avant d'exposer les idées. Nous n'avons pas encore commencé, et nous ne le ferons pas avant d'avoir compris qu'il nous faut débuter, non pas là où se sont arrêtés nos semblables, ni où ont commencé nos prédécesseurs, mais depuis le début, comme il se doit.

Si Nashid avait su qu'il y aurait des changements géopolitiques dramatiques et radicaux au Moyen-Orient, et plus précisément qu'il y aurait un printemps arabe dans le monde arabe, il aurait différé quelque peu la parution de son livre ; car les premières lignes du nouveau départ dont il parlait viennent effectivement d'être écrites, de la main des Tunisiens, des Égyptiens, des Yéménites, des Syriens et des Libyens.

Mais il faut le féliciter d'avoir été le seul à prédire, du moins en théorie, ces révolutions, d'une manière ou d'une autre.

Table

Terrorisme, guerre et paix
La laïcité, la religion politique
et la critique de la pensée religieuse

Vivre et laisser vivre
Libéralisme et société

Mille et une nuits
À propos des relations entre hommes et femmes

Une culture de la mort
La politique du Proche-Orient et le printemps arabe

TABLE